Queridos amigos roedores,
bienvenidos al mundo de

Geronimo Stilton

El Eco del Roedor
Redacción

Geronimo Stilton
Ratón intelectual,
director de *El Eco del Roedor*

Tea Stilton
Aventurera y decidida,
enviada especial de *El Eco del Roe*

Trampita Stilton
Pillín y burlón,
primo de Geronimo

Benjamín Stilton
Simpático y afectuoso,
sobrino de Geronimo

Geronimo Stilton

UN GRANIZADO DE MOSCAS PARA EL CONDE

Textos de Geronimo Stilton
Inspirado en una idea original de Elisabetta Dami
Cubierta de Matt Wolf *y* Larry Keys
Ilustraciones de Emiliano Campedelli *y* Riccardo Crosa
Diseño gráfico de Merenguita Gingermouse, Aurella De Rosa, Soia Topiunchi y Toposhiro Toposawa

Título original: *Una granita di mosche per il conte*
© de la traducción: Manuel Manzano, 2009

Destino Infantil & Juvenil
destinojoven@edestino.es
www.destinojoven.com
Editado por Editorial Planeta S. A.

Primera edición: noviembre de 2009
ISBN: 978-84-08-08606-2
Depósito legal: M. 42.050-2009
Fotocomposición: Víctor Igual, S. L.
Impresión y encuadernación: Brosmac, S. L.

Impreso en España - Printed in Spain

El papel utilizado para la impresión de este libro es cien por cien libre de cloro y está calificado como **papel ecológico**.

¡QUÉ NOCHE, AQUELLA NOCHE!

¡Qué noche, aquella noche! Era noviembre y hacía un frío felino. Arrebujado bajo las mantas, leía un libro de historias de fantasmas, oyendo la lluvia repicar contra los cristales, cuando de repente se abrió la ventana.

El viento agitó las cortinas justo como... la sábana de un fantasma.

—**¡SOCORRO!** —salté de la cama con un escalofrío.

Apoyé el morro contra el cristal y miré fuera:

¡QUÉ NOCHE, AQUELLA NOCHE!

En aquel momento...

—**¡Ringgg!**

¿Quién podía telefonear a aquellas horas? Eché un vistazo al reloj: ¡faltaban cinco minutos para la medianoche!

El teléfono, insistente, continuaba sonando.

—**¡Ringgg, ringgg, ringgg!**

—¡Hola! ¿Hola, quién habla?

—*¿Holaaaaa? ¿Geronimooooo?* —resonó una voz lejana lejana.

—Sí, soy yo. ¡Soy Geronimo, *Geronimo Stilton*! —chillé; después me pareció reconocer la voz de mi primo—. Trampita, ¿eres tú? Pero ¿dónde estás? ¿Desde dónde llamas?

—*¡Llamo desde Trans... desde... desde... desde... desde...* **TRANS... RATONIA***!*

—¿Transratonia? Pero ¿qué haces allí?

—*... castillo... conde... Ratesch... ven en seguida...*

—¿Hola? ¿Trampita? ¡Trampita! ¿Qué ha pasado? Responde...

Pero se había cortado.

AL ALCANCE DE LA PATA

En seguida llamé a Tea, mi hermana.

—Me ha llamado Trampita: puede que tenga problemas.

—¿Y me despiertas por eso? —bostezó ella.

—Llamaba desde lejos, desde muy lejos, creo que estaba en Transratonia...

Entonces ella cambió de tono de repente.

—

¿Trampita ha llamado desde Transratonia? Pero entonces debemos ir a buscarlo. **¡Ahora! ¡En seguida! ¡Inmediatamente!** Mira, hasta tengo el horario de trenes al alcance de la pata...

—Pero ¿cómo? Espera, en realidad... —murmuré trastornado.

—¿Tu pobre primo está en problemas y tú ni siquiera te preocupas? —protestó ella—. ¡Tienes un corazón de hielo, o más bien de piedra, eres un egoísta, un insensible, me asombras, DEBERÍAS AVERGONZARTE!

—Ejemm —dije yo—, bueno, quizá, claro...

—Bien, entonces está decidido. Nos vemos en la estación. ¡Adiós!

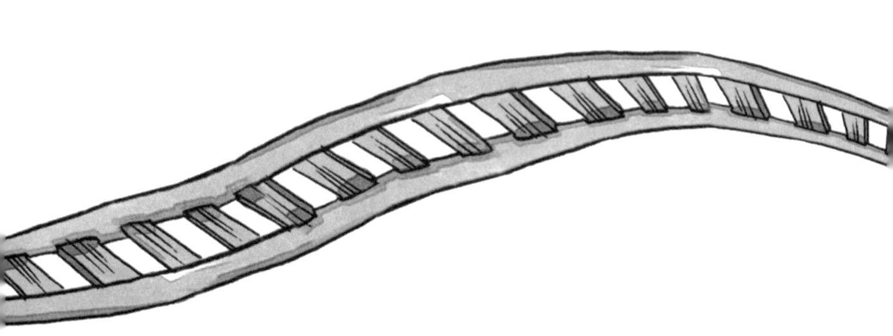

Cuando el gato no está...

A las seis estaba en la estación, preparado para todo. Había escuchado las previsiones del tiempo:

—Cielo sereno en toda la isla.

¡Niebla, como siempre, en Transratonia!

¿Por qué, por qué, por qué mi primo había desaparecido precisamente en la región más fría de la isla? Más fría y más **MISTERIOSA**: ¡cuántas leyendas sobre los fantasmas de los castillos transratonios!

Finalmente, llegó Tea, elegantísima con su gorro de piel sintética blanco.

—¡Hola, hermanito! ¿Cómo estás?

¡A las seis ya estaba en la estación, preparado para todo!

—**¡Fatal!** —protesté sombrío, pensando en la redacción de mi periódico, *El Eco del Roedor*—. ¿Qué harán sin mí en el diario? *¡Cuando el gato no está... los ratones bailan!*

Ella me guiñó un ojo:

—Uy, qué exagerado.

—¡Te recuerdo que dirijo un periódico! —respondí solemne—. Si no estoy en la redacción, ¿quién hace que salga *El Eco del Roedor*?

—Vamos, que sin ti la redacción funciona perfectamente. ¡Más bien, mejor! —se rió Tea, que es la enviada especial de mi periódico—. A propósito, hermanito, debo decirte algo... ejem, ¿conoces la *Gaceta del Ratón*? —preguntó con ironía.

—**¿¿¿La Gaceta del Ratón???** —respondí irritado—. ¿Esos periodistas de medio pelo, esos caraqueso, esas ratas de cloaca? ¡Así se les **cayera** la cola, se les **mellara** un colmillo, se los **comiera** un gato! ¡Su periódico sólo es bueno

para envolver pescado! Pero **¡podrido!** Ésos, por una exclusiva, harían lo que fuera. A propósito, ¿qué querías decirme?

—Ejem, ¿sabes?, ahora están de moda los espectros, los fantasmas, los vampiros y eso... Bueno, vaya, que he tenido una idea para una exclusiva: un buen reportaje sobre los castillos transratonios. ¡Ya se lo he vendido a *La Gaceta del Ratón*, y me lo han pagado superbién!

—¿Cómo? —grité indignado—. ¡Ahora entiendo por qué tenías tanta prisa en partir hacia Transratonia!

—¡Era broma! —rió Tea—. Pero ¡podríamos hacer un buen reportaje sobre esa región! ¡A los lectores de *El Eco del Roedor* les encantaría!

PALABRA DE ROEDOR

En aquel momento, oí un crujido.

Mi hermana se me puso delante de un salto.

—¿Qué pasa? ¿Qué estás tramando? —preguntó.

—¡Nada, nada, pero qué desconfiado eres!

Di un salto a la izquierda, pero ella se me anticipó.

—¡BASTAAA! ¿Qué hay ahí detrás?

—¡Sólo un baúl! —contestó Tea.

En ese momento, el baúl se agitó como si estuviera vivo,

después se abrió y asomaron dos pequeñas orejitas.

Era Benjamín, mi sobrinito.

—¡Hola, tío Gerry!

—¿Qué haces aquí, Benjamín? —pregunté—. ¡No se puede llevar a un ratoncito tan pequeño como tú a TRANSRATONIA!

Benjamín

—¡No soy pequeño! ¡Ya casi tengo nueve años! —exclamó él—. Y, además, tía Tea ha dicho que necesita un ayudante para hacer los recados, llevarle el baúl...

—¡No, no y no! ¡Ni en sueños! ¡Ni hablar! Palabra de roedor, esta vez se hará como yo diga. ¡Si no, no me llamo *Geronimo Stilton*!

EL ECO DEL ROEDOR

Geronimo Stilton

Director

Calle del Tortelini 13 - 13131 Ratonia

ESTACIÓN DE RATEEESCH...

Diez minutos más tarde, estábamos sentados los tres en los asientos del compartimento, mientras el tren nos llevaba lejos.

—**Grrr...** —gruñía yo.

Mi hermana en cambio estaba de un humor excelente y leía en voz alta una guía turística de Transratonia:

—... 'Inmerso en la **niebla** transratona, en la cima de un pico inaccesible, el castillo de Ratesch está envuelto en un **HALO DE MISTERIO...**'

Benjamín se había metido debajo de mi abrigo.

—**BRRR, QUÉ FRÍO.** Pero ¡no importa, estoy tan contento de viajar contigo, tío Geronimo! —dijo alegre.

Yo lo acaricié tiernamente.

Pasaban las horas: el paisaje se hacía cada vez más oscuro. El tren, que a la partida estaba repleto de pasajeros, se vació lentamente. Así, cuando llegó a Ratesch sólo quedábamos nosotros tres.

¡Rateeesch! ¡Estación de Rateeesch!
¡Rateeesch! ¡Estación de Rateeesch!
¡Rateeesch! ¡Estación de Rateeesch!
¡Rateeesch! ¡Estación de Rateeesch!

—¡Rateeesch! ¡Es la estación de Rateeesch! —resonó ronca una voz en la niebla cada vez más espesa.

Ajo, ajo, ajo

—Por favor, ¿el castillo de Ratesch? —le pregunté a un paseante. Él me miró con los ojos desorbitados, se agarró la ristra de ajos que llevaba colgada al cuello y desapareció entre la niebla sin decir una palabra.

—Ya pregunto yo. ¡Tú no sabes! —protestó Tea—. Perdone, ¿puede indicarnos el camino al castillo Von Ratesch? —le dijo a una campesina.

—**¡Ahhhh!** —gritó ella agitando un brazalete de dientes de ajo.

Entramos en la tienda de *souve-*

nirs de la estación. En el escaparate había una horrorosa taza con forma de calavera, un inquietante ataúd sacapuntas y lúgubres postales con el lema...

¡Saludos desde Transratonia!

El roedor que estaba tras el mostrador nos miró con curiosidad.

—Por favor, ¿nos indica el CASTILLO...?

—¿Sííí?

—... DEL CONDE...

—¿Sííí?

—... VON RATESCH?

Con la última palabra, bizqueó. Agarró la primera ristra de ajos que tenía a mano, se la colgó al cuello y nos señaló la puerta. Después, el tipo bajó la persiana precipitadamente.

Pasamos por delante de un restaurante.

—*Soufflé al ajo, pinchos de ajo, pastel de ajo.*

¡Qué extraño menú! **ME ESTREMECÍ.**
El tabernero se asomó.
—¿Desea cenar, señor?
—¡Nooo, gracias! —balbuceé—. ¿Sabría indicarme el camino al castillo Von Ratesch?
El hombre agarró un botellón y se tragó de golpe lo que, a juzgar por el tufo, debía de ser batido de ajo.
—**¡Ahhhh!** —chilló, cerrándonos la puerta en los morros.
¿Por qué los habitantes de Ratesch consumían tanto ajo? Se dice que el ajo sirve para mantener alejados a los vampiros...

¿QUIÉN HA VOLADO EN LA NOCHE OSCURA?

No se veía a un palmo del morro: estábamos rodeados por una gris, húmeda, neblina. Ya había caído la **noche**, una noche sin luna y sin estrellas. En aquel momento, un relámpago cruzó el negro cielo de repente.

—¡Ahí está! —gritó Benjamín.

Entreví un castillo de torres puntiagudas.

—¡Esto merece una foto! —gritó satisfecha Tea, agarrando la máquina fotográfica.

En ese momento, oímos un ruido. Una extraña máquina de vapor subía petardeando por el sendero. La conducía un ratón que parecía jorobado, vestido de negro, con una capucha calada hasta el morro.

El extraño roedor canturreaba, sin separar una palabra de la siguiente:

—¿QUIÉNHAVOLADOCONALASDEMURCIÉLAGO?

ELSECRETOESTÁATULADO.

ELSECRETOESTÁATULADO.

¿QUIÉNHAVOLADOENLANOCHEOSCURA?

¡OHQUÉMIEDOOHQUÉPREMURA!

El vehículo, que avanzaba a una velocidad absolutamente **EXAGERADA**, era un telar sobre el que se había montado una caldera de cobre. De la caldera salían tubos de cobre de todos los tamaños.

De vez en cuando, el roedor tiraba de una cadena, y de un tubo más largo que el resto salía bufando una nube de humo, y él tosía como si lo estuvieran estrangulando.

Para no ser vistos, pero sobre todo para no ser **atropellados** por aquel loco roedor al volante, nos lanzamos a los matojos espinosos que crecían a los lados del camino.

—**¡Ji ji ji!** —se reía él tocando la campanilla con descaro.

Proseguimos la marcha hacia el castillo, pero al cabo de media hora grité...

—**¡MIRAD!**

Una extraña máquina de vapor subía petardeando...

En el cielo brumoso entrevimos una silueta negra que volaba en línea recta. ¡Tenía forma de

murciélago gigante

con una envergadura de alas de al menos veinte metros!

El extraño objeto volador parecía provenir del castillo, y parecía ir directo al pueblo.

Pasó por encima de nuestras cabezas y en un instante desapareció en una nube.

—¿Qué era eso? —preguntó Benjamín asustado.

—¡No lo sé —respondió Tea—, pero sea lo que sea, lo he fotografiado! —concluyó satisfecha.

HIELO EN LOS BIGOTES

Tardamos tres horas en llegar a la cima del pico. El castillo estaba erizado de torres que en lo alto se perdían entre la niebla.

—¡TIENES HIELO EN LOS BIGOTES!
—me hizo notar mi hermana.

¡QUÉ FRÍO!

Benjamín se me había metido debajo del abrigo y sólo asomaba la cola. Giramos alrededor de los muros, para encontrar una vía de acceso; yo me fijé en un grueso tubo de apertura circu-

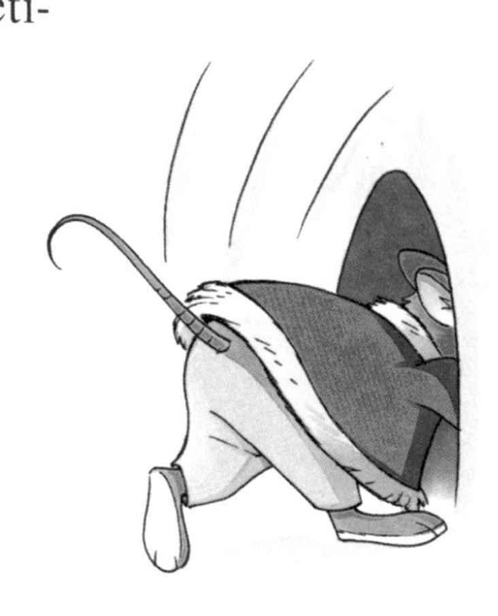

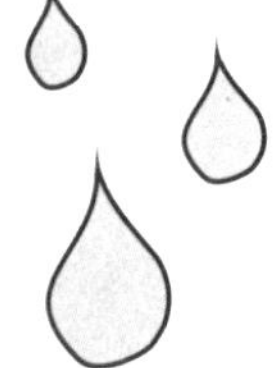

lar, en el foso del castillo. Llamé a mis compañeros.

—¡Venid por aquí! ¡Quizá he encontrado un pasadizo!

Veloces como gatos, entramos uno tras otro. Olfateé el aire.

—¡Éstas deben de ser las cloacas!

Miré a mi alrededor: las paredes trasudaban humedad y las gotas caían al suelo con un ruido sordo. Cogidos de las patas, avanzamos...

¡QUÉ ODIOSA ES ESA TIPA!

Aparecimos en el patio del castillo.

Al rato oímos una campanilla.

—¡ENSEGUIDAVOYAMO! —gritó una extraña voz nasal, sin tomar aire entre una palabra y otra. Era el roedor que habíamos visto en el camino.

—¡UFFYAVOYYAVOYUNPOCODEPACIENCIA! —exclamó, bajando los escalones de cuatro en cuatro, casi rodando. Era BAJO, o más que bajo era curvado. GORDO, o más que gordo era redOndO. Tenía la cabeza incrustada en los hombros, como si no tuviera cuello, unos ojos grotescos y abultados como **PELOTAS** y la cola torcida.

Se le veía una oreja **mellada**, como si un gato se la hubiera roído. En la otra oreja, la sana, llevaba un **aro de plata**. El extraño tipo se agarró a la llave de un salto y la giró en la cerradura del portón.

—**¡BIENVENIDOAMO!** —farfulló, inclinándose hasta rozar el suelo con los bigotes.

El portón se abrió y entró un roedor... *aún más extraño que el primero.*

Alto y delgado, de morro afilado, vestía una capa púrpura que llegaba hasta el suelo. Sus ojos tenían un resplandor melancólico y los bigotes le pendían hacia abajo, como si no se riera desde hacía siglos.

Tras él, entró una ratoncita rubia, que vestía una capa de seda escarlata.

—¿Te has acordado de prepararme el baño caliente? —exclamó, dirigiéndose al jorobado.

—¿BAÑOCALIENTE? ¿QUÉBAÑOCALIENTE? —respondió él, y me pareció que se reía bajo los bigotes.

—¡En esta casa nadie me escucha! ¡Ni siquiera tengo una camarera personal! ¿Qué condesita no tiene una camarera personal? —se lamentó ella; después se dirigió decidida hacia los escalones, haciendo ondear la capa de seda.

—¡Qué odiosa es esa tipa! —murmuró Tea.

¡GONNNGGG! ¡GONNNGGG!

Los seguimos a escondidas al interior del castillo: el jorobado se deslizó hasta la cocina, agarró una cacerola e intentó remover la sopa con un cucharón, pero era tan espesa que se quedó incrustado.

—**¡AGH! ¡PORMILSALAMANDRASENSALMUERA!** —exclamó, y empezó a tirar con todas sus fuerzas. El cucharón se soltó de golpe con un ruido de succión, como el que hace una **VENTOSA**, y acabó contra el muro, quedándose bien pegado. El jorobado meditó un instante con aire pensativo, se rió bajo los bigotes y corrió a servir la sopa. Después trotó hacia un enorme GONG y lo golpeó

con un martillo, haciéndolo vibrar. El conde

y la condesita estaban sentados a los dos extremos de una larguísima mesa. El jorobado corría arriba y abajo, sirviendo a los amos de la casa. Noté con espanto que en las copas de cristal vertía un líquido **DENSO Y ROJO**.

ME ESTREMECÍ.

—¡Qué dulce! ¡No hay nada en el mundo con un sabor tan delicado! —dijo la condesita.

Se limpió los bigotes con la servilleta: quedaron impresas huellas de color ROJO SANGRE.

Tuve que apoyarme en la pared. Me desmayo a la vista de la SANGRE... ¡Es más, sólo con oír nombrar esa palabra me siento desvanecer!

¡Pobre Trampita!

—Exploremos el castillo mientras ellos están a la mesa —murmuré.

Los oscuros pasillos sólo estaban iluminados por el fuego de unas antorchas. ¡Cuántas armaduras de guardia en las salas desiertas!

¡Y cuántas telarañas en las paredes! Por todos lados, una espesa capa de polvo de un dedo cubría muebles y cuadros.

—Pobre tío Trampita. ¡Sniff! ¡Quién sabe lo que le habrá ocurrido! —sollozaba Benjamín, sonándose la nariz.

Tea, mientras tanto, sacaba fotos de todo.

—ESTAS TELARAÑAS SON ESTUPENDAS. ¡Será una exclusiva de bigotes! Me pregunto cómo titularla: quizá...

¿SANGRE EN TRANSRATONIA?

—¡Por favor, no nombres esa palabra, la palabra SANGRE! —susurré palideciendo. De repente, las velas proyectaron una sombra oscura...

TRIP VON TRAPPEN

Frente a nosotros, se materializó el fantasma de un ratón, blanco hasta la punta de los bigotes.

El fantasma nos guiñó un ojo.

—¡Hola, primos! Quien no se muere, vuelve a encontrarse, ¿no es así?

—¡Trampita! ¿Estás vivo?

—¡Vivito y coleando! ¿Por qué, cómo debería estar? ¿Difunto? —Después resopló, levantando una nube de polvo blanco—. Precisamente estaba vaciando un saco de harina, y **PFFF**...

Necesité un poco de tiempo para recuperarme de la emoción.

—Pero, Trampita, ¿y la llamada telefónica? ¡Estábamos preocupados por ti! —farfullé.

—¿Qué llamada? Ah, sí... estaba friendo saltamontes, es decir, batiendo moscas, pero eso te lo explico luego, porque, si no, no lo entenderás, y después estaba rebanando a una **ARAÑA GIGANTE** que en realidad era una **oruga peluda** y después estaba haciendo un caldo de moscas y un **batido de pulgas** cuando ha entrado aquello, es decir aquél, y me ha dicho Trampita, por qué no has salcochado aún las hormigas, y yo le he respondido y a ti qué te importa, ya lo haré dentro de cinco mi-

nutos, que yo entiendo de cocina, en realidad entiendo de todo, pero en la cocina soy excepcional, modestamente nadie hace las pizzas como yo y entonces le he dicho hagamos una buena pizza de mosquitos que me sale de fábula porque yo sé un montón de hacer pizzas de insectos y soy muy listo, a propósito te he contando alguna vez que...

—**¡Bastaaa!** —lo detuvo Tea—. Entonces, ¿a qué ha venido la llamada telefónica?

—Ah, sí, mientras telefoneaba había olvidado en el fuego los **FILETES DE CUCARACHA**, que al conde le gustan **SANGRANTES**...

—¡No me hables de **SANGRE**! —lo interrumpí yo—. Y, además, ¿qué son esos platos asquerosos?

¡FILETES DE CUCARACHA!

Él se agarró los tirantes con los pulgares y exclamó con aire solemne:

—Os lo explicaré después: ¡ahora os daré una noticia **sensacional**! ¿Habéis visto el spot televisivo de esa agencia que estudia los *árboles genialoides*?

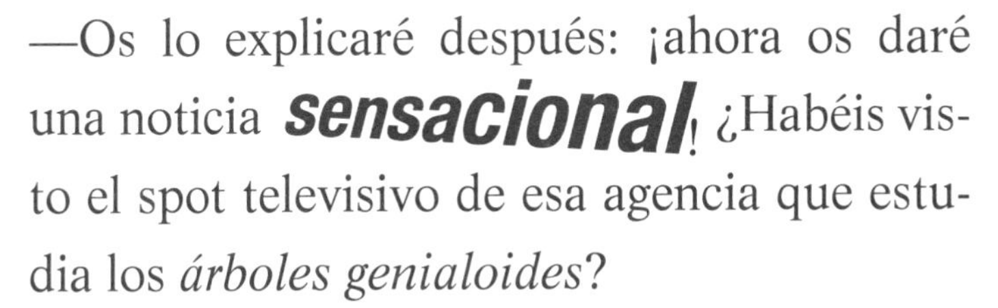

—¡Si acaso *árboles genealógicos*! —corregí.

—Hace diez días llamé a la agencia —susurró Trampita—. ¿Y sabéis qué he descubierto? ¿Eh? ¿Lo sabéis?

—No —suspiré—. Y no sé si quiero saberlo...

—¡Resulta que desciendo (quizá) del nobilísimo linaje de los *Von Trappen* de Transratonia! ¡SANGRE AZUL, no hay que decir más! —dijo mi primo.

—¡No pronuncies *esa* palabra, por favor! ¡Cambiemos de tema! —murmuré.

Trampita me miró con compasión.

—¡Eh, ya se ve que somos distintos! Por lo demás, la **SANGRE** no miente. ¡La **SANGRE** no es agua!

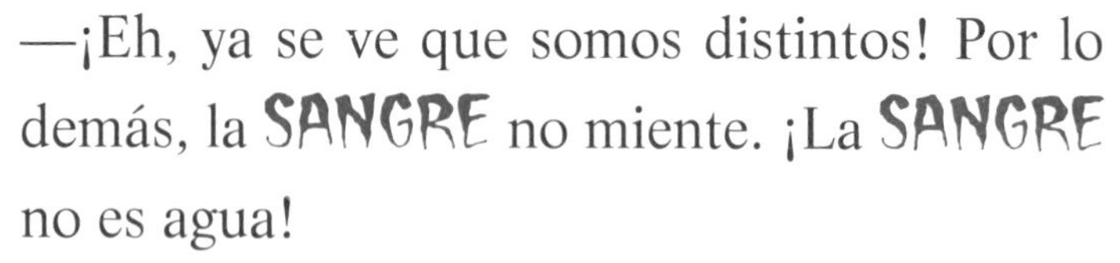

—¡Basta de sangre! —chillé.

—¡No es culpa tuya si no tienes **SANGRE** noble en las venas! —rebatió él.

—¡No quiero volver a oír **ESA** palabra! De todos modos, somos primos, ¿sabes? ¡Si tú eres noble, yo también!

—¡Eso habrá que verlo! —gritó Trampita—. Pero no te exaltes, ¿eh? De todos modos, quería buscar aquí mismo las pruebas de mi origen: parece que en este castillo, hace siglos, ¡vivió el fundador de mi *esturpe*!

—Querrás decir *estirpe* —lo corregí yo.

—¡Se llamaba *Trip von Trappen*! —concluyó él con aire soñador.

¡DEJADME DESMAYARME EN PAZ, OS LO RUEGO!

—Pero ¿cómo has conseguido que te hospede el conde Ratesch? —preguntó Tea.

Mi primo se rió.

—**Je je je**, él no sabe nada de mi búsqueda. He hecho que me contrate como cocinero. A propósito, mañana por la noche habrá un gran baile aquí en el castillo. Tengo que pensar en el menú. El conde y su sobrina tienen gustos extraños. ¡No soportan el ajo, pero en cambio adoran los platos a base de insectos! Para contentarlos... —añadió Trampita con aire pensativo—, estoy pensando cocinar un buen pastel de SANGUINOLENTAS morcillas de SANGRE con salsa de SANGRE frita

acompañada de patatas bañadas en SANGRE. A propósito, ¿sabes que estás un poco palidillo? ¡Para no quedarte sin SANGRE deberías comerte un buen bistec SANGUINOLENTO!

—**Piedad**... —murmuré debilitándome.

—¡Qué pálido estás, Geronimo! Se diría que no tienes una gota de SANGRE en las venas.

—¡No me hables más de *sangre*! ¿No entiendes que me marea? —farfullé.

—¡No te sulfures o te subirá la SANGRE a la cabeza, Geronimo! ¡No te hagas mala SANGRE, no vale la pena! Es más, ríete un poco, la risa hace que la SANGRE circule mejor. ¡Y, sobre todo, mantengamos la SANGRE fría!

—**¡Grrr!** —murmuré—. Si no paras de repetir esa palabra, te muerdo las orejas...

—¿Me harás SANGRE? —me interrumpió mi primo.

La cabeza me daba vueltas.

—¡Geronimo! ¡Respira hondo! —dijo Tea dándome un cachete para reanimarme.

—¡Sí, respira hondo, Geronimo! —chilló mi primo, dándome un cachete en la otra mejilla.

—**¡Se está desmayando!**

—gritó Trampita, dándome otros dos cachetes, uno a la derecha y otro a la izquierda. Yo protesté.

—¡Estoy perfectamente! ¡No te molestes! Dejadme desmayarme en paz, os lo ruego...

AH, ESTRELLA...

Trampita miró el reloj.

—Es tarde. Debo apresurarme, el conde aprecia la puntualidad.

—¡Extraño tipo ese tal Vlad von Ratesch! —observó Tea, que mientras tanto fotografiaba el pasillo y las salas que encontrábamos.

—Pero ¡si es muy simpático! Su sobrina es la condesita Estrella, ¿la habéis visto? —Mi primo suspiró con aire soñador, y se puso la pata en el corazón—. Ah, **Estrella**, su nombre es como música para mí. Qué pena que ya esté comprometida con un tipo que se llama *Nasutus Van Der Nasen*, un ratón pálido, nada de... A propósito, ¿qué planes

tenéis? ¿Os quedáis aquí u os marcháis?
—¿Cómo? ¿No vienes con nosotros?
—Pero si aquí estoy muy bien. ¿Qué mejor que unas vacaciones en Transratonia?

—¿BROMEAS?
¡ES UN LUGAR ESCALOFRIANTE!

Mi primo se rió.
En aquel momento, se apoyó en la librería: ¡la pared giró sobre sí misma y él DESAPARECIÓ!
—¡Trampita! —gritamos. Pero nadie respondió.
—Tiene que existir un pasadizo secreto —dije.
De repente, oímos pasos.
Nos apretamos detrás de un mueble. ¡Justo a tiempo! El conde y la condesita avanzaban por el pasillo oscuro repleto de armaduras polvorientas.
—Necesitamos un mayordomo y un ayuda de

El conde y la condesita avanzaban por el pasillo...

cámara. ¡Y yo necesito además una camarera personal! ¿Qué te parece, tío? —gritaba la condesita.

El conde no respondió, parecía pensativo.

—Casi ha amanecido —bostezó ella—. ¡Buenas noches, tío! —dijo, cerrando la puerta a su espalda. *Von Ratesch* y el jorobado desparecieron al final del pasillo.

—¿Cómo podremos explorar el castillo sin ser descubiertos?

—**¡Idea!** —dijo Benjamín—. Buscan un mayordomo, un ayuda de cámara y una camarera...

—Muy bien, pequeño —exclamé acariciándole las orejitas—. ¡Haremos que nos contraten!

—**¿QUÉ?** ¡Yo he venido aquí para conseguir una **exclusiva**, no para remendarle los calcetines a esa ñoña! —protestó Tea.

UNA CAPA DE SEDA ESCARLATA

La tarde del día siguiente salimos del castillo por las cloacas para presentarnos en la puerta principal. Llamamos: nos abrió el jorobado.

—**¿QUÉQUERÉIS?** —balbuceó con voz nasal. Yo me esforcé por adoptar un aire profesional.

—¿Por casualidad buscan sirvientes?

Él se rió con disimulo y entrecerró el portón.

—¡VOYALLAMARALACONDESITA!¡ESPE-
RADAQUÍENLAENTRADA!

Pocos segundos después, oí un rumor.

Me volví: ¡la condesita ya estaba allí!

—¿Cómo ha llegado tan de prisa? —siseó Tea, perpleja.

Estrella, mientras, nos observaba con aire crítico, pero lo que vio pareció gustarle.

—Vosotros dos id al guardarropía a poneros la librea, tú en cambio sígueme, debes plancharme el manto, coserme el dobladillo de la capa de seda escarlata, rizarme y empolvarme la peluca, después debes sacar brillo a las hebillas de los zapatos de seda y... ¡antes del baile hay mil cosas que **TÚ** debes hacer!

Le hizo una mueca de desdén a Tea y se fue a su habitación.

Mi hermana me fulminó con la mirada.

Yo me dirigí hacia el guardarropía, siguiendo al jorobado, que se reía bajo los bigotes.

DOCE CAMPANADAS

El jorobado me señaló un armariote.

—**ALLÍESTÁNLOSUNIFORMES... ¡YSINECESITASALGOPÍDELO!**

—Claro, señor... ¿cuál es vuestro nombre?

—**¡QUÉFRÍOHACEESTANOCHE!** —exclamó él.

—¡Sí, realmente hace mucho frío! Ejem, pero ¿cómo os llamáis?

—**¡QUÉFRÍOHACEESTANOCHEQUÉFRÍOHACEESTANOCHE!**

—¡Claro, claro, hace muchísimo frío! —continué yo—. Pero ¿cómo os llamáis, por favor?

—**¡QUÉFRÍOHACEESTANOCHE!** ¡Mi nombre es **QUÉFRÍOHACEESTANOCHE**! —repitió él dando pataditas en el suelo, **IMPA-CIENTE**.

Benjamín fue el primero en comprenderlo.

—¡Por supuesto, señor **QUÉFRÍOHACEES-TANOCHE**! ¡Nos ponemos el uniforme y empezamos a trabajar en seguida!

El jorobado trotó hasta la puerta.

—¿Debemos quitar las telarañas? —pregunté.

—**¡LASTELARAÑASNOSETOCAN!** —chilló él enfurecido—. **¡SONDELSIGLODIECIO-CHO!**

—¿Tampoco quitamos el polvo?

—**¡NOOO! ¡ESPOLVODEANTICUARIO!**

—Entonces ¿abrillantamos la plata?

El jorobado trotó horrorizado.

—**¿ABRILLANTARLA? ¡NOOOO! ¡OSDES-MOCHOLASPATASSILOINTENTÁIS!**

—Entonces ¿qué debemos hacer?

—**¡IDALACOCINAAAYUDARALCOCINE-RO!**

Después se alejó, acariciando con la mirada las telarañas que colgaban aquí y allá y murmurando para sí:

—**¡VÁNDALOS! ¡LOSHEDETENIDOJUSTO-ATIEMPO!...**

Justo en aquel instante oí un reloj dar la hora...

Conté las campanadas: ¡eran **12**!

—¡Medianoche! ¡Brrr, la hora de los fantasmas! —murmuró Benjamín agarrándome la pata.

¿Rojo cereza... o rojo fresa?

Recorrimos el pasillo desierto. Al rato, oímos un zumbido proveniente de la torre más alta del castillo.

—¡Parece el ruido de un motor! —dije con la oreja apoyada en la puerta que conducía a la torre.

El ruido aumentó; después, de repente, empezó a disminuir, y al final se desvaneció. En ese instante oímos unas voces que venían de una habitación que daba al pasillo.

Reconocí la voz de la condesita Estrella.

—¿Me has planchado el vestido? ¿Aún no? ¡Cuidado! **¡CUIDADOOO! ¡LO VAS A QUEMAR!**

Oí a Tea resoplar, después la condesita prosiguió:

—Cepíllame el pelaje. Despacio, así me tiras de los rizos. ¡Un poquito de delicadeza, qué diantre! ¡Recógeme el pañuelito, que se me ha caído!

Siguió un breve silencio.

—Muy bien, y ahora píntame las uñas con el esmalte rojo. Después me rizas los bigotes y me los espolvoreas con el polvo dorado. No sé si ponerme...

... la capa color **rojo cereza**...

... la capa color **rojo fresa**...

... o la capa color **rojo tomate**.

—¿Cómo? —gritó entonces la condesita, enfadada—. ¿Aún no has puesto en el jarrón las treinta y cuatro docenas de rosas rojas que me ha enviado mi novio, el conde Nasutus Van Der Nasen? ¡Ah, Nasutus! Qué gentil, pero qué aburrido...

—¡Quietaaaa! No me toques. No me quites la capa. ¡¡¡Ya lo hago sola!!!

—la oí gritar al final.

Oí pasos: alguien salió y cerró la puerta. ¡Era mi hermana!

—¿Qué pasa? ¿Has descubierto algo? —susurré.

—Hummm, hay algo extraño. Tengo que hacérselo todo, pero no quiere que la ayude a desnudarse. Nunca se quita de encima esa capa larga hasta los pies. ¿Qué esconderá debajo? Después me he fijado en otra cosa extraña. ¡Siempre me la encuentro a mi espalda, como si llegara de repente, sin ruido! ¡De todos modos, es insoportable!

—concluyó mi hermana, enfadada.

—Pero es muy guapa —dije yo tímidamente.

—¡Sí, en efecto, es muy guapa!

—repitió Benjamín.

—¿Tú crees? ¿Qué le ves? ¿No has visto su enorme nariz?

—Tiene unos ojos bellísimos —añadió Benjamín con aire soñador.

Tea lo fulminó con la mirada.

—¿Por qué no vas tú a pintarle las uñas con esmalte, entonces? A propósito, ¡tiene las uñas afiladas como garras! ¡Si te hace una caricia en el morro, te hace SANGRE!

—Te ruego que no pronuncies ESA palabra... —Me estremecí.

—¿Qué palabra? ¿SANGRE? —chilló mi hermana.

—Pero ¿es que lo haces aposta? —chillé a mi vez.

Benjamín me tiró de una pata.

—Mirad, aquél debe de ser el dormitorio del conde. ¡La puerta está abierta!

LA PUERTA ROJA

—Intentemos entrar —murmuró Tea, sacándose del bolsillo del delantal la CÁMARA FOTOGRÁFICA.

Sacó una panorámica del pasillo, de donde colgaban retratos de antepasados.

Después, un primer plano de la puerta, forrada de **terciopelo rojo**.

—Perdona, ¿no deberías ir a planchar el vestido de la condesita?

Tea se rió.

—A ésa le plancharía las orejas. ¡Espera que encontremos a Trampita y después me ocuparé de ella!

Entrecerramos la puerta. El interior de la ha-

bitación estaba forrado de terciopelo rojo, roja era la moqueta que recubría el suelo, de rojo estaba pintado el techo.

Nos acercamos a la cama con dosel, tapada con cortinas de raso rojo.

¡Fal... faltaba el colchón! Clavado a la pared, vi un extraño gancho de hierro. Me fijé en un vaso en el que flotaba una dentadura... ¡de afilados colmillos! ¡Brrrrrr!

Después me di cuenta de que en la mesilla de noche había un vaso de cristal lleno de un líquido rojo. ¿Sería SANGRE?

—¡ME DESMAYO!

—anuncié.

¡MIRAD ALLÍ!

Me cayó un velo negro en los ojos: me desperté después de un rato... Oí de nuevo un ruido que provenía de la torre más alta. Después, volvió el silencio de golpe.

Tea miró por la ventana.

—Es el alba...

—¡Viene el jorobado! —siseó Benjamín, que se había quedado al otro lado de la puerta.

Aquél trotó hacia nosotros, frotándose las patas satisfecho.

—¿TODO LISTO PARA LOS INVITADOS?

—¡Hemos acabado! —respondió Tea por todos.

—BIEN, ENTONCES PUEDO IRME A DORMIR —bostezó el jorobado—. ¡MAÑANA NOS TE-

NEMOSQUELEVANTARTEMPRANÍSIMOA-LASCUATRODELATARDE!

Pasaron las horas. Los tres extraños habitantes del castillo dormían, pero ¡nosotros no teníamos sueño! Arrastrando las patas, desanimados, recorrimos el pasillo.

—¿Dónde estará Trampita? Ahora que lo habíamos encontrado... —murmuraba Tea.

Fue Benjamín el que primero se dio cuenta de la mancha roja.

—¡Mirad allí! —balbuceó, señalando un charco de color rojo SANGRE que se veía a simple vista, extendiéndose por el pasillo.

El líquido provenía de una puerta cerrada, de la que se filtraba una rendija de luz. Nos acercamos de puntillas.

—¡Chsst, silencio! —murmuró Tea.

De repente, la puerta se abrió a un espectáculo tremendo.

¡En el centro de la habitación estaba Trampita, cubierto de SANGRE de pies a cabeza! La mancha roja se extendía a su alrededor, expandiéndose por el suelo.

—Tra... Trampita... —balbuceé.

Él agitó la pata, salpicando líquido rojo a diestra y siniestra.

—Entonces no os habéis ido, ¿eh? Habéis hecho bien quedándoos: ¡ya veréis qué delicia, el menú de esta noche!

Sacó del horno una cacerola humeante... Solamente entonces me di cuenta de que estábamos en la cocina del castillo.

ALBONDIGUILLAS DE PIRAÑA

—Trampita, ¿va todo bien? —preguntó Tea.

—¡Va mal, va fatal, llevo retraso en todo el programa! —resopló mi primo—. Aún tengo que pelar las **orugas**, asar a la plancha las **sanguijuelas**, freír las **pulgas** y los filetes de **escorpión**. ¡Menos mal que estáis aquí para ayudarme!

—Pero ¿qué te ha pasado?

—Oh, me he caído dentro del barril de tomate en conserva. Pero no es grave, tengo otro en la despensa. Entonces, veamos. Tú, Geronimo, ¿puedes cortar los filetes de **tiburón** y freír las albondiguillas de **piraña**? Pero ten mucho cuidado con las pirañas, aún hay alguna viva. Es decir, **¡cuidado con los dedos!**

—Trampita, por fin te hemos encontrado —lo interrumpí, nervioso—. ¡No sabes lo que hemos descubierto! Estos *Von Ratesch* son tipos rarísimos, duermen de día y viven de noche. ¡Además, no se sabe dónde duermen, porque las camas no tienen colchones! —**ME ESTREMECÍ**—. Y luego hay un enorme murciélago que vuela de noche...

—¡Es verdad, Trampita —continuó Tea—, tenemos que irnos en seguida, mientras aún estamos a tiempo!

Trampita, mientras tanto, seguía cocinando como si no pasara nada.

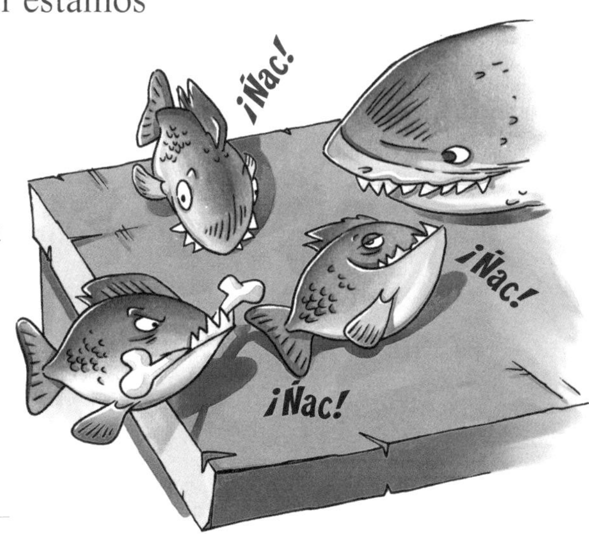

—¿Raros? ¿Dices que esos tres son raros? Pero ¡en este mundo todos somos raros! Mira a Geronimo, por ejemplo, ¿te parece normal? —Se rió—. Pero ahora hablemos de cosas serias, ¿quién se ofrece voluntario para cazar unas cuantas **avispas**? Tengo que hacer un batido.

—¿Un batido de avispas? —protesté yo—. ¡Ya te puedes ir olvidando!

—Tsk tsk tsk... —murmuró Trampita—. Por una vez tienes razón, las avispas no me sirven, demasiado sosas: un granizado de **moscas** me parece más refinado, ¡quizá podría acompañarlo con unas rodajitas de hongos! Tiene que haber buenos hongos abajo en el sótano, al lado de la carbonera...

EL SECRETO DEL NOBLERRATÓN

Trampita se dirigió a la escalera de caracol que llevaba a los subterráneos del castillo. Entreví un montón de calaveras y huesecillos... ¿Qué secretos escalofriantes escondía aquel lugar? ¡Brrrrrrrrrrrrr!

—**¡Basta, nos vamos!** —dije, aferrando a Benjamín por la pata.

Sin embargo, de repente...

EEEEEEHHHHHH!

Un tremendo grito nos puso a todos el pelaje de punta. Corrí hacia la puerta del sótano y la abrí de golpe.

—¡Trampita! Trampita, ¿qué ha pasado?

Mi primo subió corriendo la escalera, recubierto de hollín de la punta de las orejas hasta la punta de la cola.

—¡Lo he encontrado! ¡Lo he encontrado! —gritó, con los bigotes que le zumbaban de la excitación.

Señaló un cofrecito de madera con las iniciales

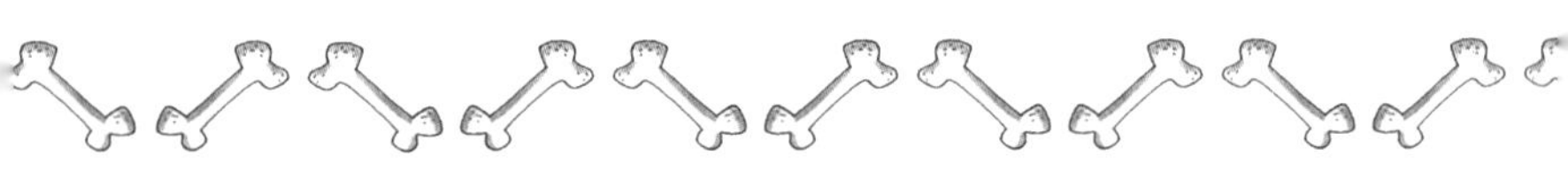

—Lo he encontrado por casualidad, estaba en el sótano, justo detrás de una cesta de carbón. Mirad: *T.V.T.*, ¡las iniciales de *Trip von Trappen*!

Emocionado, abrió el cofrecito y extrajo una miniatura que representaba a un ratón gordezuelo, con los bigotes rizados y un aire un poco bribón. En efecto, se parecía vagamente a mi primo. Trampita rebuscó en el cofrecito.

—¡También hay un pergamino! —murmuró desenrollándolo—. ¡Escuchad!

En el año decimosexto de la Era del Ratón, dentro de los confines

Después se aclaró la garganta y empezó a declamar en tono solemne:

—En el año decimosexto de la Era del Ratón, dentro de los confines del Gran Ducado de Ratisteria, bajo el Reino del Excelentísimo, Nobilísimo, Supermagnífico Gran Du-

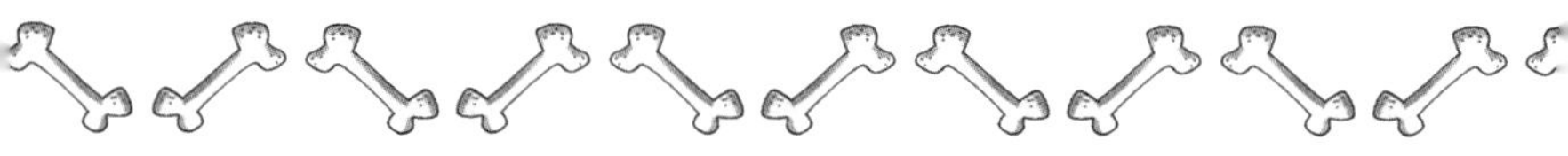

que Robiolone de Granqueso, se le concede el título de Noblerratón...

Trampita se interrumpió.

—*¿Noblerratón?* Qué pena, esperaba más, quizá un título de *Barón, Conde, Marqués, Príncipe* o mejor...

Volvió a leer:

—... se le concede el título de Noblerratón a Trip von Trappen, conocido en todo el Gran Ducado... —Trampita estaba emocionado—. ¿Habéis oído? ¡En todo el Gran Ducado, je je je!

—... Trip von Trappen, poseedor de un arte superfino...

Trampita se detuvo un instante y suspiró feliz.

—... se le concede el título de Noblerratón a Trip von Trappen, por sus excelsos méritos de...

Vi a Trampita palidecer, sudar, tambalearse.

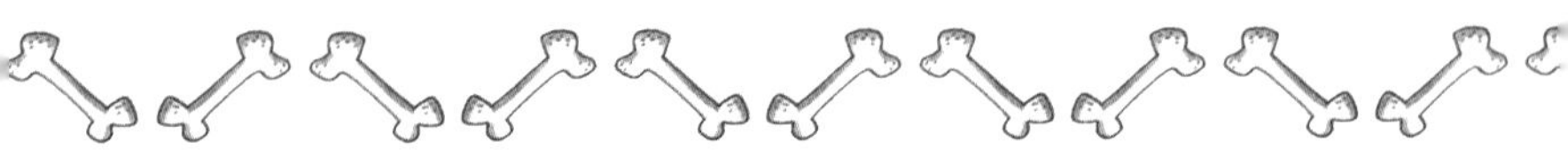

—¡Vamos, adelante! ¡Lee! —insistimos nosotros.
Mi primo enrolló el pergamino, se sentó en un escalón y se secó el sudor que le goteaba por los bigotes.
—¿Así qué? ¿Lees o no? ¡Ahora llega lo mejor! ¿Por qué se convirtió en Noblerratón? —preguntó mi hermana, sacando una foto del cofrecito.
—Nada, nada, os lo leeré después. A ver, ¿quién pone la mesa?
Tea miró el pergamino.

Qué hay escrito ahí, eh?

¿Qué dice?
Trampita apretó el pergamino.
—¡Fuera esas patas!
Tea fue más rápida y se lo quitó.

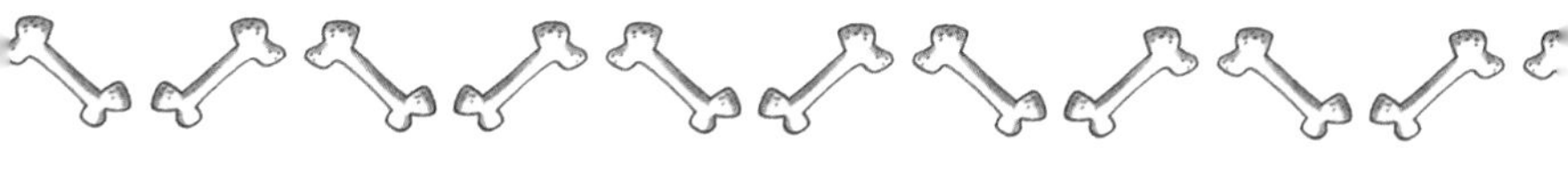

—¡Déjanos ver! ¡Tus antepasados son también los míos! —gritó ella. Después dijo en voz alta—: ... *¿por sus méritos de decorador de orinales?*

Trampita sollozó, escondiendo el morro contra la pared.

—¡Qué desilusión! ¡Dadme vuestra palabra de que no se lo diréis a nadie, os lo ruego!

—Pero ¡después de todo, *Trip von Trappen* era realmente un noble! —intentó consolarlo Tea.

Trampita sollozó aún más desesperado.

—Sí, pero ¿a quién puedo contárselo? **¿QUÉ DIRÍAN MIS AMIGOS DE RATONIA?**

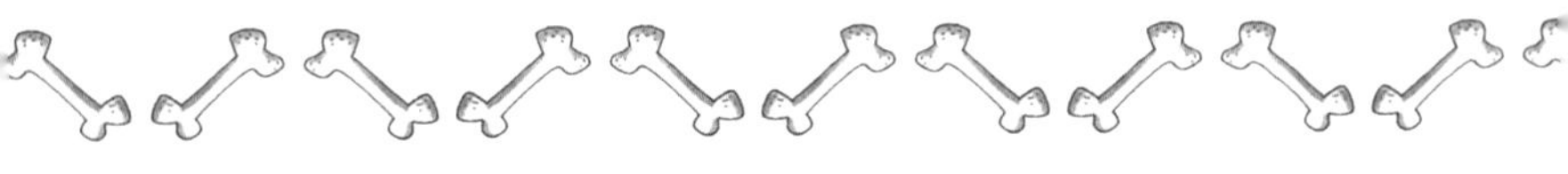

¡AQUÍ ESTÁN LAS CARROZAS!

En aquel momento, la puerta de la cocina se abrió y entró el jorobado trotando.

—¡YALLEGAELPRIMERINVITADO!

Se asomó a la ventana y miró una carroza que subía hacia el castillo.

—¡QUÉDESCARO,NOSELLEGAAUNBAILE-ANTESDETIEMPO! —chilló, corriendo hacia la puerta.

—¿Y ahora qué hacemos? —pregunté.

Trampita se secó las lágrimas.

—Me sobrepondré y serviré la cena de todos modos. Os lo ruego, os lo ruego, quedaos aquí para ayudarme hasta el final del baile. Después, partiremos todos juntos. ¡OS LO

RUEGO, OS LO RUEGO, OS LO RUEGO!

Tea, Benjamín y yo suspiramos.

—Está bien, primo, nos quedamos. Al final del baile, no obstante, partiremos... ¿prometido?

—¡Palabra de roedor! —exclamó Trampita.

—¿Dónde se ha metido la camareraaaaaaa?

—chilló una voz femenina en aquel momento.

Era la condesita Estrella.

Tea se fue, con una expresión sombría. Benjamín y yo nos apresuramos hacia el salón.

El portón se abrió y el jorobado declamó a pleno pulmón:

—¡ELMARQUÉSDESANGREDULCE,LABARONESADELVUELORASANTE!

Mientras, otras carrozas entraban en el patio del castillo, con las ruedas que chirriaban contra las piedras del adoquinado.

Él se desgañitaba anunciando unos tras otros a los invitados, cada vez más ilustres.

—¡ELGRANDUQUEDELALADEPLATA... ELPRÍNCIPEDELALLANURACONVEXA... ELCONDEDELPICADOCANDENTE... ELBARÓNDELGLÓBULOROJO... ELMARQUÉSHECTORPLASMA... ELCONDENASUTUSVANDERNASEN!

Los recién llegados, todos ataviados con capas de seda largas hasta los pies, se deslizaban solemnes hacia el salón, y eran recibidos allí por el conde *Von Ratesch*, impasible como siempre.

¡Mi héroe!

De repente, todos los invitados se volvieron a mirar la escalinata de mármol que llevaba al piso superior.

En lo alto de la misma, envuelta en una nube de tul rojo fuego, estaba la condesita Estrella. Oí un suspiro y me volví: era Trampita, que llevaba entre las patas una cazuela con sopa de piraña. ¡Mi primo sólo tenía ojos para ella, para la condesita!

Estrella, con aire lánguido, dio un pasito en la escalera de mármol, descubriendo zalameramente sus finos tobillos.

¡Sonrió coqueta, y después les lanzó un beso a todos sus admiradores!

—¡Qué clase, qué fascinante! —murmuró Trampita.

Estrella descendió otro escalón. Pero resbaló, se quedó un instante en equilibrio en lo alto de la escalera y después empezó a rebotar hacia abajo...

Trampita dejó caer la cazuela, regalándome un diluvio de caldo de piraña hirviendo.

—¡AAAAAAAYYYYYYYYYYY! —chillé.

Mi primo se lanzó hacia adelante más veloz que un jugador de rugby.

—¡Hop Hop Hop! —gritó corriendo escalera arriba.

Nasutus Van Der Nasen, el prometido de Estrella, y otros jóvenes aristócratas intentaron seguirlo, pero Trampita ya estaba por delante de todos. Alargó las patas y atrapó a Estrella al vuelo.

La condesita lo miró arrebatada.

—¡Mi HÉROE!

—Nada, nada, tonterías —se pavoneó él—, lo hago cada día. He hecho cosas *peores*, perdón, *mejores*.

Me di cuenta de que el pobre Nasutus Van Der Nasen se había retirado a un rinconcito y los miraba con aire melancólico.

PERO ¿QUIÉN ES? ¿QUIÉN SERÁ?

Los aristócratas presentes comentaban lo ocurrido en voz baja, envidiosos del éxito de Trampita. Él volvió a la cocina a la carrera, complacido.

—¡Les he hecho morder el polvo a todos esos aristocratuchos!

Entonces se puso de nuevo a cocinar, cortando un pedazo de queso con una enorme hacha:

—¡Zac zac zac zac zac zac!

—¡Queridísimos, lo siento, pero el primer baile es para el héroe que me ha salvado esta noche! —dijo la condesita Estrella en voz muy alta.

Mi primo Trampita se quitó corriendo el

Trampita estaba cortando un pedazo de queso...

delantal y también el sombrero de cocinero. Después, se inclinó casi hasta rozar el suelo con los bigotes.

—*Condesita, es un honor...*

Los dos giraban mientras la orquesta de violines tocaba una melodía romántica. Mi primo susurraba quién sabe qué al oído de Estrella, que se reía con expresión zalamera. Mientras, aumentaban los cotilleos:

—Pero ¿quién es? ¿Quién será? ¡Es un campeón de rugby, no, es un agente secreto, no, es un noble caído en desgracia, no, es el cocinero del castillo!

—¡Esa **bruja**! Vosotros los ratones sois unos ingenuos... —dijo Tea rabiosa.

Benjamín en cambio contemplaba admirado a la pareja que hacía piruetas en la pista de baile.

—¡Qué bien baila el vals el tío Trampita!

Yo fingía indiferencia, pero debo confesarlo, admiraba a mi primo: ¡qué bien bailaba!

¿Me permite este baile?

PIZZAS CON SALSA DE HORMIGA

La velada pasó volando, hasta que de repente el reloj empezó a dar la hora:

Dong, dong, dong, dong, dong, dong,
dong, dong, dong, dong, dong, dong...

Conté las horas: ¡era medianoche!

Olí el aire.

—¡Qué tufo! Pero ¿qué es ese olor?

Un **HUMO NEGRO** provenía de la cocina. Le hice gestos frenéticos a mi primo: él me entendió en seguida, hizo una inclinación, le besó la pata a Estrella, y en un instante desapareció.

—Pero ¿adónde ha ido? ¿Adónde ha huido?

¡Qué misterioso es ese roedor! —cotilleaban curiosos los invitados.

Los violinistas volvieron a tocar, mientras todos charlaban y charlaban, comentando los PICANTES sucesos de aquella velada.

Yo corrí a la cocina. Trampita había abierto la puerta del horno, del que salía un humo negro.

—¡El caldo de piraña se ha evaporado por culpa de Geronimo! —exclamó—. ¡El pastel de sanguijuelas se ha quemado en el horno: culpa de Geronimo, que no me ha avisado a tiempo! ¡Ni siquiera el postre se ha salvado: tenía que ser granizado de moscas, pero las moscas han volado! Culpa de Geronimo, naturalmen-

te... —se siguió quejando mientras señalaba una jaulita vacía.

—Pero ¿qué dices? —pregunté enfadado—. ¿Qué tengo que ver yo con tu menú? ¿Por qué tiene que ser siempre culpa mía?

—¡No es grave! —intentó poner paz Tea.

—¿Que no es grave? ¡Ve a decirles a los trescientos cuarenta y siete invitados de esta noche que para cenar pueden ir empezando a comerse las uñas! —chilló Trampita—. Además, ¿qué puedo hacer ahora?

¡En la cocina sólo queda salsa de tomate!

Entonces observó un barrilito que tenía escrito HARINA y una ánfora de aceite de oliva.

—Un momento, salsa de tomate, harina, aceite de oliva. ¡Son los ingredientes de la PIZZA!

—¿Y la mozzarella, tío? —preguntó Benjamín.

—¡Nada de mozzarella, sobrino! Haré una variación sobre el tema. ¡Enciende el horno!

¡Será una obra maestra!

El horno ya estaba caliente, y metimos en tiempo récord pizza tras pizza, mientras Trampita, canturreando feliz, las hacía volar por el aire como un prestidigitador. Yo me fui a controlar la situación en la sala de baile.

Los invitados parecían estar hambrientos de tanto bailar durante horas y no veían el momento de llenarse el estómago. Sentados a la mesa, tamborileaban nerviosos sobre el mantel, echando miradas esperanzadas hacia el pasillo que llevaba a la cocina.

Me incliné solemnemente ante el conde Vlad.

—¡La cena está lista!

En ese momento, la puerta se abrió y entró un carrito cargado de pizzas.

—¡Pizzas con salsa de hormiga, pizzas de lombrices picante

—gritaba Benjamín, sirviendo los platos en la mesa.

—¿Pizzas? ¿Qué son?

—Nunca las he probado antes...

—¿De quién ha sido la idea?

—¿Quién las ha preparado?

—¡Son deliciosas!

—¡Ñam! ¡Ñam ñam ñam!

Los invitados parecían hambrientos...

¡El chiste que siempre funciona!

Mientras servía los platos en la mesa, agucé el oído: me pareció oír, lejos lejos, un ritmo pulsante, contagioso, a medias entre el ruido y la música. ¡Provenía de la cocina!
Me fijé en que muchos invitados callaban, escuchando como yo la extraña melodía. Entonces recorrí el pasillo, curioso por descu-

brir el origen del sonido y finalmente abrí la puerta de la cocina. Trampita estaba de pie en el fregadero y martilleaba con un cucharón sobre las cacerolas. Con la cola abría y cerraba el grifo al ritmo de música **ROCK**, produciendo unos ruidos gorgoteantes, mientras Benjamín, por su parte, golpeaba el cubo de metal de la basura con una escoba y un tenedor de madera.

Todos los invitados empezaron a bailar, amontonándose en las enormes cocinas del castillo. Tras una media hora, Trampita dejó de tocar.

Yo me fijé en que el único que no bailaba y no parecía divertirse era el conde *Vlad*. Sombrío como siempre, observaba bailar a los demás con una expresión melancólica.

—Lo pondré de buen humor —se rió Trampita—. Nadie puede resistirse a mis historietas, sobre todo ¡al...

chiste que siempre funciona!

Se acercó al conde *Von Ratesch* y susurró:
—¿Sabe el último de murciélagos?
En el salón se hizo... ¡UN SILENCIO SEPULCRAL!
Todos los invitados miraron a Trampita amenazadores. Él murmuró al oído del conde durante unos instantes que parecieron interminables. *Von Ratesch* se quedó impasible unos segundos, después sus bigotes parecieron temblar, y emitió extraños ruidos gorgoteantes, como si estuviera haciendo gárgaras. A continuación rodó por el suelo, agarrándose la panza con las patas y riendo a más no poder.
Los invitados lo miraron estupefactos, y luego empezaron a reírse también ellos.

¡Ja ja jaaa! ¡Ji ji jiii!
¡Je je jeee! ¡Ju ju juuu!
¡Jo jo jooo!

Trampita estaba satisfecho.
—¡Ya os había dicho que siempre funciona!

La revancha de Nasutus Van Der Nasen

La condesita, mientras, se abría camino entre los huéspedes, apresurada.

—¿Dónde está? ¿Dónde está Trampita? —exclamaba.

Finalmente vio a mi primo.

—Os he encontrado, por fin. Pero ¿qué estáis haciendo en la cocina?

Trampita, en cuanto la vio, dejó el cucharón y corrió hacia ella.

—¡Condesita, condesita! —dijo, arrodillándose y besándole la pata.

—¡Bajo este delantal, **mi corazón** arde de amor por vos!

Ella pestañeó, zalamera. Después los dos se

apartaron a un rincón de la cocina, susurrándose dulces palabras.

—¡Qué nobles son vuestros sentimientos!

—¡Pobre de mí, de noble sólo tengo los sentimientos! —murmuró mi primo—. No tengo castillo, ni tierras, ni títulos nobiliarios que ofreceros. Pero mi corazón, mi corazón ya es vuestro...

¡y para siempre!

¡y para siempre!
¡y para siempre!
¡y para siempre!

Ella se conmovió visiblemente.

—¡Ah, Trampita, no importa si no sois de origen noble, vuestra personalidad es irresistible, nunca he conocido a un roedor tan galante como vos!

Nasutus Van Der Nasen, el prometido oficial de Estrella, se aclaró la garganta y dio tímidamente un paso adelante, ¡como para recordarle que él también existía!

La condesita fingió no verlo.

Trampita tenía los ojos brillantes de emoción.

—Condesita... ¿puedo llamaros **Estrella**?

¿Puedo permitirme la osadía de esperar... de pediros... vuestra pata?

Ella se iluminó de felicidad, después se abrió la capa en un ímpetu de alegría, para abrazarlo. Dos inmensas alas oscuras se desplegaron frente a mi primo.

¡AAAAAAAH!

Trampita palideció y se desmayó.

—¡Ah, **QUÉ PESADILLA**! —murmuró cuando recobró el sentido—. He soñado que un murciélago, más bien una murciélaga...

Entonces vio a la condesita.

¡AAAAH!

—chilló de nuevo, escondiéndose tras de mí.

Ella se echó a llorar y se le lanzó a sus pies.

—¡Adorado mío, no me abandonéis!

Pero él se mostró inconmovible.

—Ahora lo entiendo todo. La vuestra es una familia de roedores con alas: ¡por eso os gustan los insectos!

—Pero ¿qué hay de malo si me gusta el batido de **mosquitos**? —lloraba ella desesperada—. ¿Y las sanguijuelas a la salsa de **SANGRE**?

—¡Eso, la **SANGRE**! —insistía mi primo, implacable—. ¡Confiesa, bebes **SANGRE** a litros! —dijo, señalando una garrafa llena de líquido rojo.

—Pero ¡qué sangre ni qué sangre! —se molestó ella—. ¡Eso es zumo de tomate! ¿Es que te estás haciendo el gracioso?

Él negó con la cabeza.

—Somos muy distintos. Tú duermes de día y vives de noche. ¡Y quizá hasta duermes colgada boca abajo!

—¡Pues es muy bueno para la circulación, ¿sabes? —se ofendió la condesita.

—¡No hay nada que hacer, querida Estrella —dijo Trampita—, lo siento, pero no hay nada que hacer! ¡Serás todo lo noble que quieras, pero yo nunca frecuento a **ROEDORES NOCTURNOS**!

Estrella se envolvió en la capa y, sollozando, salió por la puerta.

Nasutus Van Der Nasen la alcanzó y se lanzó a sus pies, besándole el dobladillo de la capa.

—¡Adorada mía, *MOSQUITA MÍA...* nunca he dejado de amarte, para mí eres la única, te quiero tal como eres! —murmuró Nasutus apasionado.

Los dos abrieron las alas, abrazándose, y así, **JUNTOS JUNTOS**, se fueron por el pasillo.

EL ÚLTIMO MISTERIO

Los invitados no se habían dado cuenta de nada y continuaban bailando. ¡Muchos habían desplegado las alas y revoloteaban de un lado a otro a ritmo de **ROCK**! Ahora todo estaba claro. La sangre era zumo de tomate, los ganchos eran para que los murciélagos durmieran boca abajo, los amos de la casa eran unos comedores de insectos porque los murciélagos se alimentan de insectos... **pero ¿y el ajo?** ¡Ah, eso: el conde era alérgico al ajo!

Aún quedaba un misterio por descifrar: el extraño ruido que provenía de la torre más alta del castillo. Lo oí justo en aquel momento y corrí hacia la puerta de la torre. Entreví al jorobado, que llevaba un par de anticuadas gafas de piloto, mientras corría escalones arriba. Después trotó hacia un avión con alas en forma de murciélago. A bordo lo esperaba Von Ratesch, que, riéndose, se puso un casco de cuero de aviador.

El jorobado se volvió y gritó al viento...

LA HISTORIA MÁS TRISTE QUE CONOZCO

Casi había amanecido, el sol estaba a punto de salir.

Bajé la escalera y atravesé el salón de baile. Por todos lados, copas sucias de zumo de tomate, trozos de pizza roídos por aquí y por allá, jarrones de flores rotos...

Los invitados se estaban marchando, pero encontramos a uno dormido boca abajo en un armario.

—Un reportaje de bigotes: ¡las fotos del baile son **FE-NO-ME-NA-LES**! —exclamó satisfecha Tea, sacando las últimas fotos.

—Hay un tren que sale a las siete —dije yo, mirando el reloj.

—¡Qué pena, me estaba aficionando al castillo, a su polvo, a sus telarañas de tantos siglos de antigüedad! —suspiró Benjamín.

Juntos recorrimos el pasillo del castillo. Cuando llegamos delante de la puerta forrada de terciopelo rojo, oímos un extraño ruido: ¡alguien se estaba riendo! La puerta se abrió y vimos al conde arrellanado en un sillón.

¡Ja ja jaaa, je je jeee, ji ji jiii, jo jo jooo, ju ju juuu, qué risa qué risa qué risaaaaaaa!

¡No podía parar de reír!

—Trampita, ¿qué hacemos? —le susurré preocupado a mi primo—. Aún está bajo los efectos del chiste que le has contado. ¡Haz que pare, por compasión!

Trampita pensó un instante, después respondió con aire profesional:

—He visto otros casos parecidos. El **chiste que siempre funciona** tiene un efecto increíble en ciertos sujetos. Pero ¡dejadme a mí!

Se acercó al conde, después le susurró al oído durante unos instantes que me parecieron interminables. *Von Ratesch* paró de reírse y empezó a llorar a lágrima viva.

—¿Qué has hecho? ¿Qué le has dicho? —le preguntamos ansiosos a mi primo.

Él se metió los pulgares por debajo de los tirantes.

—Le he contado la **historia más triste que conozco**. ¡Llorará durante media hora, y después se le pasará todo!

Bajamos la escalera, precedidos por el jorobado. Salimos por el portón y enfilamos el sendero. Yo me volví para un último saludo. El jorobado, de pie en el umbral del castillo, agitaba un pañuelito.

Se rió bajo los bigotes y exclamó, esta vez recalcando bien las palabras:

—**¡HASTA LA VISTA, VOLVED PRONTO, HA SIDO UN PLACER TENEROS AQUÍ!**

Yo me quedé con la boca abierta.

—**¿Cómo? ¿CÓMO?** Pero entonces... ¿Y por qué antes...? ¿Lo habéis oído también vosotros? —pregunté a mis compañeros.

Ellos no me oyeron: ya se habían adelantado por el sendero.

Me volví de nuevo hacia el jorobado, decidido a pedirle explicaciones, pero él ya había desaparecido en la niebla de Transratonia.

Próxima parada: ¡Ratonia!

El viaje de retorno a Ratonia nos pareció incluso más largo que el de ida.

Tea, satisfecha, dictaba a la grabadora el artículo sobre los castillos transratonios, Trampita estaba insólitamente silencioso, mientras Benjamín, cansado por tantas emociones, dormía apoyado en mí y envuelto con mi bufanda.

Me asomé a la ventanilla.

—¡Qué bien volver a Ratonia! No hay ningún lugar en el mundo más bonito que la propia casa. *¡Casa... una palabra mágica!*

EL ÁRBOL GENIALOIDE

¡Por fin en casa! Me metí bajo las mantas, cansadísimo. Pero a medianoche me desperté sobresaltado: ¿quién llamaba al timbre? Me puse la bata y chancleteé hasta la puerta.

¡Soy la voz de tu concienciaaa...!

—Pero ¿quién es? ¿Quién es a estas horas?

—Soy la voz de tu concienciaaa... —resonó una voz lúgubre. ¿Quizá era un vampiro surgido de su ataúd? ¿O un fantasma de Transratonia?

Ratardo Corazóndequeso
Gonzo de Gorgonzola
Rataza de Robilnovo
Provolo de Parma
Bigotina de Bigotis
Quesoso Morrogordo
Moustache du Moustachou
Sourie de Sans-Souris
Don Ratón de la Mancha
Dulcinea de Ratoso
Árbol genealógico de Trampita Cabezadura
Mascarpone XXIV, el Pellejoso
Ratilda VII, la Colagorda

Hice acopio de valor y abrí.

—¿Sabes la noticia? —chilló Trampita—. La agencia se ha equivocado, no desciendo de *Von Trappen*, pero sí (quizá) de Moustache du Moustachou y de Sourie de Sans-Souris. ¡Mira, aquí tengo esto, eso es, el árbol *genialoide*!

—¡*Genealógico*, no *genialoide*! —suspiré.

—Mi antepasado —dijo Trampita— era un famoso explorador, viajó a lo ancho y largo del desierto del Ratahara... y precisamente ahora me voy hacia allí. A propósito, después de todo, *mis* antepasados son también los *tuyos*, así que la factura de eso, sí, la planta, el *árbol*, ¡te la he pasado a ti! ¿Partimos juntos, así compartimos los gatos del viaje? Hay un tren dentro de media hora...

Yo volví a la cama con los bigotes que me zumbaban de exasperación.

—¡No, basta de viajes!

Me parecía haber estado fuera durante meses...

DE NUEVO EN LA OFICINA

A la mañana siguiente, estaba en la oficina. Llamadas telefónicas, fax, e-mails... ¡me parecía haber estado fuera durante meses, no sólo unos días!

En aquel momento mi hermana entró como un tornado.

—**¡MIRA ESTO!** —exclamó lanzándome al escritorio una pila de fotografías—. Sale el castillo. Escaleras, patios, armaduras, telarañas. Pero ¡de los invitados no hay ni rastro! ¡Esos morros feos... me gustaría saber cómo consiguen no salir en las fotografías!

Las examiné una por una, con la lupa.

—En efecto —admití—, no hay rastro del jorobado, del conde, de la condesita, de los invitados. ¡El castillo parece deshabitado!

—¡Tendré que renunciar al reportaje especial sobre Transratonia y los vampiros! —protestó Tea.

Yo sonreí bajo los bigotes.

—Quizá las leyendas dicen la verdad: los castillos transratonios están habitados por fantasmas. De todos modos, fantasmas o no, no tenemos exclusiva para nuestro diario, pero ¡en compensación hemos encontrado a Trampita!

—A propósito de Trampita, ¿te he hablado alguna vez del Ratahara? —susurró mi hermana, mientras apoyaba los codos en mi escritorio.

¡RATAHARA, RATAHARA, RATAHARA, RATAHARA, RATAHARA, RATAHARA, RATAHARA, RATAHARA, RATAHARA, RATAHARA!

¡Ratahara, Ratahara, Ratahara!

—¿Ratahara? ¿Qué pasa con el Ratahara?

—¿Sabes?, hablé con Trampita ayer noche. Me ha dado una idea: un reportaje exclusivo sobre los secretos de los oasis rataharianos, con entrevistas a los Ratuareg, los misteriosos Ratones Azules. Ya me imagino el título: ¡Ratahara, Ratahara, Ratahara!

—¿CÓMOOOOOO? ¡Primero me llevas a Transratonia, la región más fría de la isla, donde la niebla es más densa que el queso fundido, tan densa que puedes UNTARLA en pan! —me interrumpí para recobrar el aliento.

—¡Y ahora me propones un viaje al Ratahara, donde hay 50 grados a la sombra todo el año, donde puedes freír un huevo en el cráneo de un ratón, donde viven escorpiones gigantes tan grandes como ratas!

Mi hermana se encogió de hombros.

—¡Uh, qué exagerado! ¡Si no vienes, le ofreceré el reportaje a la **¡La Gaceta del Ratón!** ¡Te doy cinco minutos para decidirte!

Reflexioné cinco minutos.

Mi hermana tenía olfato, eso había que reconocerlo.

Imaginaba ya los títulos a toda página en *El Eco del Roedor...*

ESPECIAL RATAHARA

EL ECO DEL ROEDOR

DOSSIER
Toda la verdad y todas las mentiras sobre los *Ratones Azules*

SALUD
Los secretos de los *Ratones Azules* para sobrevivir a 50 grados a la sombra

COCINA
Las exóticas recetas al queso picante de los Ratuareg

De nuestra enviada especial *Tea Stilton:* ¡Los misterios de los Ratones Azules!

VACACIONES
Viajes organizados a los oasis ratraharianos

AVENTURA
Cursos de supervivencia entre las dunas

«¡UN ESCORPIÓN GIGANTE ME HA PICADO EN LA COLA PERO HE SOBREVIVIDO!», cuenta el jefe de los Ratuaregs.

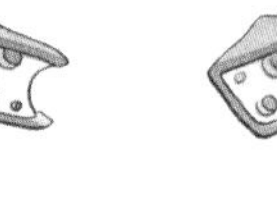

Índice

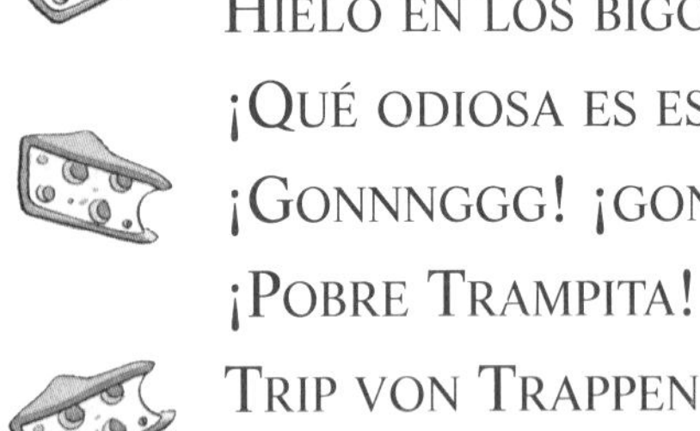

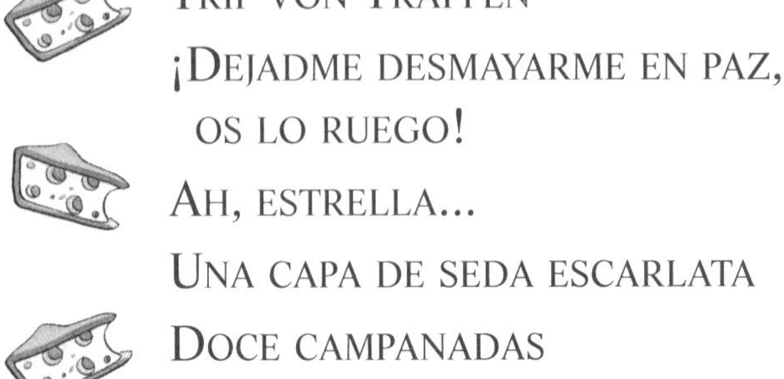

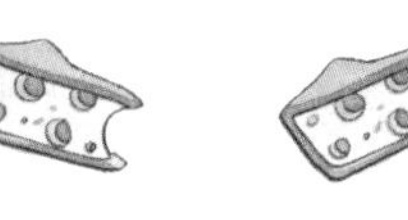                            

TEA STILTON

❑ 1. El código del dragón

❑ 2. La montaña parlante

❑ 3. La ciudad secreta

❑ 4. Misterio en París

¿Te gustaría ser miembro del CLUB GERONIMO STILTON?

Sólo tienes que entrar en la página web **www.clubgeronimostilton.es** y darte de alta. De este modo, te convertirás en ratosocio/a y podré informarte de todas las novedades y de las promociones que pongamos en marcha.

¡PALABRA DE GERONIMO STILTON!

El Eco del Roedor

1. Entrada
2. Imprenta (aquí se imprimen los libros y los periódicos)
3. Administración
4. Redacción (aquí trabajan redactores, diseñadores gráficos, ilustradores)
5. Despacho de Geronimo Stilton
6. Helipuerto

1
2
3
4
8
9
18
13
12
19
11
10
17
Río
Ratonio
15
28
22
5
20
26
7
23
27
14
16
25
21
24
36
40
37
38
29
Play
31
41
32
33
34
6
30
42
43
39
35

Ratonia, la Ciudad de los Ratones

1. Zona industrial de Ratonia
2. Fábricas de queso
3. Aeropuerto
4. Radio y televisión
5. Mercado del Queso
6. Mercado del Pescado
7. Ayuntamiento
8. Castillo de Morrofinolis
9. Las siete colinas de Ratonia
10. Estación de Ferrocarril
11. Centro comercial
12. Cine
13. Gimnasio
14. Sala de conciertos
15. Plaza de la Piedra Cantarina
16. Teatro Fetuchini
17. Gran Hotel
18. Hospital
19. Jardín Botánico
20. Bazar de la Pulga Coja
21. Aparcamiento
22. Museo de Arte Moderno
23. Universidad y Biblioteca
24. «La Gaceta del Ratón»
25. «El Eco del Roedor»
26. Casa de Trampita
27. Barrio de la Moda
28. Restaurante El Queso de Oro
29. Centro de Protección del Mar y del Medio Ambiente
30. Capitanía
31. Estadio
32. Campo de golf
33. Piscina
34. Canchas de tenis
35. Parque de atracciones
36. Casa de Geronimo
37. Barrio de los anticuarios
38. Librería
39. Astilleros
40. Casa de Tea
41. Puerto
42. Faro
43. Estatua de la Libertad

Estrecho de la Rata Ratada
Galeón de los Gatos Piratas
Isla Corsaria
Por aquí pasan las ballenas
Isla Tortuga
Atolón de las Islas Felices
Archipiélag la Rata Pestilente
Golfo del Diente Podrido
Barrera Coralina
Bahía de los Delfines
Por aquí, al océano Rático Meridional
Puerto Fétido
Puerto Asco
Cala del Gato Arrabalero
Ratonkfurt
Por aquí, al mar de los Bigotes Vibrantes
Aquí tiburones
Puertorratón
RATONIA
Puerto Crostón
Faro Casposo
Isla Despellejada
Pecio Aflorante
Por aquí, al mar de los Ratazos
ISLA DE LOS RATONES
N
S
1
2
3
4
5
6
7
8
9
10
11
12
13
14
15
16
17
18
19
20
21
22
23
24
25
26
27
28
29
30
31
32
33
34
35
36
37

La Isla de los Ratones

1. Gran Lago Helado
2. Pico del Pelaje Helado
3. Pico Vayapedazodeglaciar
4. Pico Quetepelasdefrío
5. Ratikistán
6. Transratonia
7. Pico Vampiro
8. Volcán Ratífero
9. Lago Sulfuroso
10. Paso del Gatocansado
11. Pico Apestoso
12. Bosque Oscuro
13. Valle de los Vampiros Vanidosos
14. Pico Escalofrioso
15. Paso de la Línea de Sombra
16. Roca Tacaña
17. Parque Nacional para la Defensa de la Naturaleza
18. Las Ratoneras Marinas
19. Bosque de los Fósiles
20. Lago Lago
21. Lago Lagolago
22. Lago Lagolagolago
23. Roca Tapioca
24. Castillo Miaumiau
25. Valle de las Secuoyas Gigantes
26. Fuente Fundida
27. Ciénagas sulfurosas
28. Géiser
29. Valle de los Ratones
30. Valle de las Ratas
31. Pantano de los Mosquitos
32. Roca Cabrales
33. Desierto del Ráthara
34. Oasis del Camello Baboso
35. Cumbre Cumbrosa
36. Jungla Negra
37. Río Mosquito

Queridos amigos roedores,
hasta el próximo libro.
Otro libro morrocotudo
palabra de Stilton, de...

Geronimo Stilton